劉福春・李怡 主編

民國文學珍稀文獻集成

第四輯

新詩舊集影印叢編　第132冊

【韋叢蕪卷】

君山

北京：未名社 1927 年 3 月出版

韋叢蕪 著

冰塊

北京：未名社出版部 1929 年 4 月初版

韋叢蕪 著

花木蘭文化事業有限公司

國家圖書館出版品預行編目資料

君山／冰塊　韋叢蕪 著 -- 初版 -- 新北市：花木蘭文化事業有限公司，

2023〔民 112〕

148 面／86 面；19 ×26 公分

（民國文學珍稀文獻集成・第四輯・新詩舊集影印叢編　第 132 冊）

ISBN 978-626-344-144-6（全套：精裝）

831.8　　111021633

ISBN-978-626-344-144-6

9786263441446

民國文學珍稀文獻集成・第四輯・新詩舊集影印叢編（121-160 冊）

第 132 冊

君山
冰塊

著　　者　韋叢蕪

主　　編　劉福春、李怡

企　　劃　四川大學中國詩歌研究院

　　　　　四川大學大文學學派

總 編 輯　杜潔祥

副總編輯　楊嘉樂

編輯主任　許郁翎

編　　輯　張雅淋、潘玟靜　美術編輯　陳逸婷

出　　版　花木蘭文化事業有限公司

發 行 人　高小娟

聯絡地址　235 新北市中和區中安街七二號十三樓

　　　　　電話：02-2923-1455／傳真：02-2923-1452

網　　址　http://www.huamulan.tw 信箱 service@huamulans.com

印　　刷　普羅文化出版廣告事業

初　　版　2023 年 3 月

定　　價　第四輯 121-160 冊（精裝）新台幣 100,000 元

君山

韋叢蕪 著

韋叢蕪（1905～1978），學名韋崇武，安徽霍邱人。

未名社（北京）一九二七年三月出版。原書三十二開。

君山
韋叢蕪著
北京未名社出版

未名新集之一

韋叢蕪著

君山

司徒喬插畫

林風眠作書面

一九二七年三月出版：一至一五〇〇本

「八月的君山最好，
因爲桂花都開了。」

君山

1

I.

2

夜幕中臥着一座荒涼的野站。
　月臺上鐙着三個黑黑的人影。
冷風在衰草上嗖嗖作響，
　飄飄地擺着臺上人的衣裙。

夜色織着相思的幕。
　冷風吹着初戀的火。
月臺上黑黑的人影，
　飄飄地擺着他們的衣裙。

3

「夜色織着相思的幕。
冷風吹着初愛的火。

月臺上黑黑的人影，
飄飄的擺着他們的衣裙。」

4

5

稀疏的細語，
　破不了野站的寂靜；
脚下的搓聲，
　傳不盡默默的深情。

月臺上聳着三個黑黑的人影，
　飄飄地擺着他們的衣裙。
冷風在衰草上嗖嗖作響。
　夜幕中臥着一座野站荒涼。

6

II.

7

夜幕中臥着一座荒凉的野站，
　野站中坐着我們三個遠來的青年。
壁下的爐火熊熊，
　桌上的燈光昏黯。

我們對着壁爐並坐，
　我坐在伊們的中間；
爐火映着我們低垂的紅紅的臉，
　我的心爐呵伸出蛇一般的情焰。

8

「今夜眞是想不到呵，
我們在這過了小年。」
感謝你山女提起，
此夜呵我要終身紀念。

心爐的情焰，
燒破緊密的夜幕；
切切的細語，
催來四野的曉霧。

9

壁下的爐火消殘，
桌上的燈光昏黯。
曉霧中臥着一座荒涼的野站，
野站中坐着我們三個遠來的青年。

10

III.

11

我們依着船欄佇立，
　江風送來陣陣的寒慄。
不知道伊們在想着什麼，
　我暗暗地這樣低語：

『倉猝的事變，
　造就了此番的機緣；
一路的殷勤相送，
　原是爲着無名的愛戀；

12

『愛戀的話不能說，
愛戀的戲排不得；
收回成命罷，朋友！
恕我不能到你們的家中暫歇。

『熱熱的初交的情誼，
埋藏在深深的心底。
江之彼岸便是你們的家園，
朋友，我們何時再見？』

13

『一路的
慇懃相送
，原是爲
着無名的
愛戀；』

一九二六，十一。

14

15

我們依着船欄佇立，
我暗暗地這樣低語。
不知寒慄的江風，
曾否吹醒伊們的夢。

16

IV.

17

我們正在房中高談，
外面送來我的一封信件；
恐怕在座的弟兄爭搶，
我閃出門外私看。

天外飛來的彩箋，
重新喚起我往日的夢幻；
我默默地將信兒叠起，
但不能制止心潮的泛濫。

18

「五老子，我知道，
女朋友給你來信了。」
可愛的十齡幼女，
說着機伶地憨笑。

我低頭吻伊的額際，
將指頭插在伊的髮裏；
伊笑着從我的手下逃去；
我呆呆地望着簷前的天宇。

19

V.

20

我依着船欄遙望——
　遙望那霧裏的仙鄉；
仙鄉漸漸地在霧中隱現，
　我輕輕地敲着手下的鐵欄。

默想中燒着一雙幻影
　躉船上佇立亭亭。
我遠遠地在船邊招手，
　伊們擺着白白的方巾。

一

汽笛震破了夢境，
　喧聲吞噬了幻影；
我看遍躉船上的旅客，
　只看不見我期待的伊人。

船兒又慢慢移動，
　我的心呵說不出地虛空！
我呆呆地依欄回看，
　無心地敲着手下的鐵欄。

22

VI.

23

緊披着夕陽的燦光，
野站依舊是說不盡地荒涼；
我緩緩地走進站裏，
我的心頭彌漫了涼意。

冷清清的壁爐，
落滿灰塵的長椅；
我輕撢了灰塵坐下，
我的心頭彌漫了涼意。

24

舊夢在幻想中浮起，
我慢慢向月臺走去；
遙望迷茫的暮野，
我的心頭彌漫了涼意。

VII.

26

我淒涼地坐在車中，
　獨自憑窗無語。
夜幕遠遠地密密織起——
　織起我心頭淒涼的回憶：

「火車在原野裏馳奔，
　車中載着我們三人。
黑夜主宰了全宇，
　燈光早已滅熄。

27

「山女在被中微睡，
　白水坐在伊的足前；
困憊中我將頭兒低垂，
　緊坐在伊們姊妹的身邊。

「車身忽然震動，
　驚醒了我的微夢；
我偶辨窗邊白水的頭影，
　我的心呵只不住地怔忡。

28

「我靜靜地走到門前，
清蘇我身心的困倦；
我默默地望着野火，
敬領這黑夜的莊嚴。

「火車奔到了終點。
山女已來到門旁。
我隨手取出一件上衣，
寒風裏披在伊的身上。

29

『挑夫忙忙地繫着行李，
野站中依然是寂無人語；
我默默地望着野火，
偶聽得伊們在說，「感謝上帝！」』

夜幕遠遠地密密織起——
織起我心頭淒涼的回憶；
我淒涼地坐在車中，
獨自憑窗無語。

30

VIII.

31

我無意中走進了南靖港灣；
昔日的戰塲呵已成廣漠的草原！
草原上泛濫着三月的陽光，
和風下翻騰着鮮明的草浪。

我滿懷着青春的熱望，
作我第一次伊人的拜訪；
我面迎三月的和風，
脚踏鮮明的草浪。

32

忽然間我停足四望，
　我的心呵何等地跳蕩！
身在浪中，
　夢浮浪上。

我歡然地倒在草裏，
　全身在浪中埋葬；
我仰望太空的遊雲，
　遊雲捉去了我的幻想。

「我無意中走進了
南靖港灣；
昔日的戰場呵已
成了廣漠的草原！
草原上泛濫着三
月的陽光，
和風下翻騰着鮮
明的草原。」

34

IX.

36

我們深深地鞠躬相會；
我們緩緩地走進客房。

我們溫靜地坐着；
我們平淡地談着；
我們默默地想着；
我們微微地笑着。

我們戀戀地走到門前；
我們深深地鞠躬作別。

37

X.

38

寂寥中我常愛提筆，
　我的話只是無從說起；
且問白水病好也未，
　且問伊曾否定了行期。

多時沒有消息，
　我心中且懼且疑，
苦苦地困在校中，
　我只猜不破這個啞謎。

39

「Hallo！John！

山女託我向你致意。」

我笑向前來的小朋友頷首，

我的話只是無從問起。

「山女近來怎樣？

白水曾否有信給伊？

你們在那里見面？

伊爲甚麽託你？」

40

他笑嘻嘻地拍着皮球，
我的話他並不曾注意；
忽然間他奇怪地問我：
「你怎麼常向湖心發迷？」

41

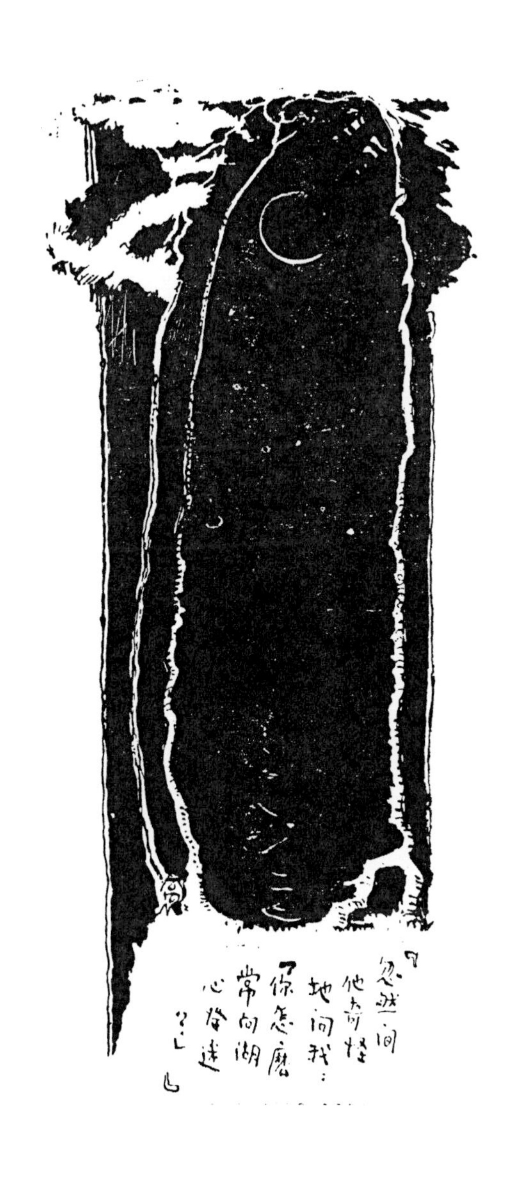

42

XI.

44

我獨在林中默坐，
遙望林外的星光閃爍。
我細忖來書的話語，
哦，原來是這個啞謎！

羞慚在我的臉上浮泛，
我的心頭燃燒着新的痛感；
我低頭勉把幽思葬起，
微聽得林外的羣星嘆息。

XII.

46

夕陽裏我慢向湖邊走去，
尋覓我昨日的舊跡。
我爲着尋覓煩惱；
我爲着煩惱尋覓。

春潮日夜地升漲，
舊跡已沒在潮裏。
我爲着尋覓煩惱；
我爲着煩惱尋覓。

47

草泥上又印人新的足跡，
　明日呵我將依舊尋覔。
我爲着尋覔煩惱；
　我爲着煩惱尋覔。

夕陽裏我獨行踽踽，
　尋覔我昨日的舊跡。
我爲着尋覔煩惱；
　我爲着煩惱尋覔。

48

XIII.

49

清晨擇得一朵鮮花，
我想將牠夾在書裏，
寫上一首小詩寄伊，
代替我不能說的話語。

幻想整整將我惑迷，
小詩只是無從做起；
可憐嬌滴滴的鮮花，
已在我的手中枯去。

50

XIV.

51

湖上的夜色淒迷，
君山的漁火依稀；
我醒來憑窗默坐，
我的心頭緊落着絲絲的細雨。

夢後的疲困，
消不了夢中的苦悶。
春潮裏一遍蛙聲，
叫碎了我的靈魂。

52

XV.

53

黃昏裏我踏着鐵道歸來，
　脚下響着異樣的音調；
我想起昨夜的焦思，
　只不住微微地笑。

我搯出白水的來信，
　想起了山女遞信的神情；
我細看伊病後的筆跡，
　引起了我野站的回憶。

54

我身披夕陽的燦光，
　緊緊地走着低低地唱；
我飽餐湖山的晚景，
　低低地唱着悠悠地想。

忽然間我驚覺夜色淒迷，
　哦，我早已完了我的路程十里。
我一笑轉身冋去，
　說不盡的心情怡怡。

55

我緊緊地走着遠遠地瞧，
禮拜堂的十字架高出樹梢；
我想起昨夜的焦思，
只不住微微地笑。

56

XVI.

57

我孤凄地坐在樓廊，
遙向天際的金星凝望；
湖上送來陣陣的涼風，
徐徐地催我入夢。

金星忽然從我的夢中落去，
我恍惚地從椅上驚起。
湖上送來陣陣的涼風。
金星依然在天際亮晶晶地。

58

XVII.

59

白日喧囂，
我但覺得寂寥；
深夜靜幽，
我却心煩意擾。

暮春的羣魔，
傷心地四野哀叫；
我心的魔呵，
却叫也叫不成調。

60

日日裏我看着夕陽西沉，
漸漸地夜色來了；
夜夜裏我看着明月西沉，
漸漸地雞兒叫了。

白日喧囂，
我但覺得寂寥；
深夜靜幽，
我却心煩意擾。

XVIII.

62

我隨伊走進樓來，
　我隨伊走出樓去；
伊的脚步何等輕盈，
　伊的頭髮軟得愛人。

我隨伊走上樓來，
　我隨伊走下樓去；
在伊的食指指處，
　一切都是美麗的。

63

偶遇一位少女癡立，
　我暗暗地這樣低語：
「『戀能，少女！
　生命只是短短的。』」

　我隨伊走進樓來，
　　我隨伊走出樓去；
伊的脚步何等輕盈，
　伊的頭髮軟得愛人。

64

XIX.

65

臉上慢慢地泛起紅潮，
心頭不住地怦怦地跳；
我在牀上輕輕轉動，
眼兒漸漸地開了。

西天的落月依舊在照，
窗上的竹影依舊在搖；
我在牀上一動不動，
眼兒漸漸地閉了。

66

幽思在前額裏絞繞，
　情熱在周身中燃燒；
我在牀上將脚一蹂，
　低低地嘆起來了。

窗外送來陣陣香風，
　心頭閃着微微的笑；
我在牀上一動不動，
　漸漸地微微睡了。

67

夢魂拚命地四面圍攻，
睡神死守着心的城堡；
我在牀上輕輕轉動，
漸漸地醒過來了。

西天的落月依舊在照，
窗外的竹影依舊在搖；
我在牀上一動不動，
遠遠地雞兒叫了。

68

XX.

69

伊說：『君山是要去的，
　我們已經去了兩次。』
伊說：「八月的君山最好，
　因爲桂花都開了。」

話後告別匆匆，
　歸途快樂融融；
我遙望霞裏的仙鄉，
　做着八月君山的夢。

70

XXI.

71

穿着全副童子軍的服裝，
　我們列隊往山中演習；
無心地提着軍棍，
　我只是想念着伊。

我們走進了深山，
　大家擇好了陣地；
沒留心隊長吩咐，
　我只是想念着伊。

72

輕輕地離開陣地，
躲在密密的林裏；
遙聽杜鵑的啼聲，
我只是想念着伊。

他們把我捉住，
認定我是奸細；
微笑着走出森林，
我只是想念着伊。

73

演習後我們來到湖灣，
野花爛熳的開遍灣裏；
默望遼闊的錦毯，
我只是想念着伊。

他們忙用軍棍搭橋，
搭過湖灣裏的小溪；
俯視悠悠的流水，
我只是想念着伊。

74

我獨自枕着岩石，
湖水在石下衝擊；
靜聽合拍的浪聲，
我只是想念着伊。

我獨自登上山頭，
山頭的晚風習習；
斜倚着手中軍棍，
我只是想念着伊。

75

山下展着廣漠的湖灣，
他們遠遠地聚在那里；
慢慢地走着唱着，
我只是想念着伊。

夕陽沉入湖底，
我們列隊歸去；
無心地提着軍棍，
我只是想念着伊。

76

XXII.

『皎月下波光萬頃，

我的心閃着殷勤的幻影！』

78

79

皎月下波光萬頃，

我的心頭閃着殷勤的幻影——

幻影在波光中飄舞……

飄舞……

飄舞……

飄舞……

幻影向皎月中飛騰……

飛騰……

飛騰……

飛騰……

80

XXIII.

81

伊們來到了湖邊；
伊們經過了草原；
伊們走進了門；
伊們走上了山。

我默默地坐在窗邊，
隊伍的步聲踏過樓前；
步聲震動我的心，
我苦苦地想着伊人：

82

『伊說：「我病了，
我不能去看你。
你莫要罣念；
我對不起你。」』

怒火在我的周身燃燒，
我恨不得毀滅這美景中的監牢！
可憐的年青的朋友呵，
我知道這次苦了你了。

XXIV.

84

晚霞燒破了西天，
洞庭起遍了火焰；
我煩惱地坐在舟中，
忍受着無名的燒燃。

我吩咐舟子奮力搖槳，
搖向火焰裏的君山。
他說君山近來不靖；
他說此刻天色已晚。

85

他依舊慢慢地搖槳，
　不住地讚頌明天；
我煩惱地坐在舟中，
　忍受着無名的燒燃。

無意裏搖到南靖港邊，
　舊日的草原呵已成浩浩的湖灣！
我輕拍湖中的火焰，
　忍受着無名的燒燃。

86

我遙望南靖港的彼岸，
彼岸呵伸出更怕人的火焰；
我悽慘地低下頭來，
但關不住我的心眼。

我吩咐舟子奮力搖槳，
搖回我原來的牧場。
歸途中整吞下我的煩惱，
可憐我幼稚的心兒燒碎了。

XXV.

88

我戰兢地走上高岡，
　俯瞰着牆裏的紅房；
我戰兢地走下高岡，——
朋友，這是我最後的拜訪。

我戰兢地走下高岡，
　微聽得牆裏的歌聲抑揚；
我戰兢地再上高岡，——
朋友，這是我最後的拜訪。

89

我戰兢地再下高岡，
仍聽得牆裏的歌聲抑揚；
我戰兢地三上高岡，——
朋友，這是我最後的拜訪。

我戰兢地三上高岡，
俯瞰着牆裏的紅房；
我戰兢地三下高岡，——
朋友，這是我最後的拜訪。

90

XXVI.

91

「我們來到
樹陰，
靜聽樹上
蟬鳴；
樹陰蓋着
伊和我，
蟬聲叫碎
了離情。

92

93

伊從綠毯似的草上走來，
　伊同我又從這草上走去；
綠草在我們脚下傾而復起，
　伊的話句句印在我的心裡。

我們來到樹陰，
　靜聽樹上蟬鳴；
樹陰蓋着伊和我，
　蟬聲叫碎了離情。

94

XXVII.

95

火呵，慢慢地燒！
　蛇呵，輕輕地咬！
陰森的夜幕扯起了，
　我的火呵，我的蛇呵！

火呵，慢慢地燒！
　蛇呵，輕輕地咬！
狂暴的夜風刮起了，
　我的火呵，我的蛇呵！

96

火呵，慢慢地燒！
蛇呵，輕輕地咬！
火車已馳入荒野了，
我的火呵，我的蛇呵！

火呵，慢慢地燒！
蛇呵，輕輕地咬！
我在車中快入夢了，
我的火呵，我的蛇呵！

XXVIII.

98

心頭填塞着酸辛，
面上滿帶着風塵；
我醒來憑窗凝望，——
哦，怕人的土黃色的火坑！

淺淺的土黃色的水；
低低的土黃色的天；
厚厚的土黃色的塵沙；
高高的土黃色的兩岸。

99

蜿蜒無盡的坑中，
熱熱的吹着火風。
太陽閃着微微的白光。
火車在橋上緩緩行動。

該詛咒的黃河呵——
怕人的土黃色的火坑！
火風吹紫我的臉，
酸辛漲破我的心！

100

XXIX.

101

漫漫的長日，
在驕陽中炎炎消逝；
我積壓的苦惱呵，
將我的青春生生壓死。

音信隨着別離斷絕，
舊話隨着語聲消逝；
你消不去的幻影呵，
將我的青春生生纏死。

102

XXX.

103

希望的火焰業已消沉，朋友，
　何必又撥起這將滅的殘燼！
我奇異地細讀來書，
　辛酸中滿懷着疑問：

廬山避暑何等清閑，
　如何兩月沒有音信？
滬上學校還未進妥，
　如何便要送此殷勤？

104

三月來的生活輕輕敘過，
　你却說進校後有信給我；
希望的火焰業已消沉，朋友，
　何必又撥起這將滅的殘燼！

XXXI.

106

我登上長城高處，
　短髮在空中飛舞；
我默對荒茫的原野，
　嘘出我胸中的空漠。

我低頭默默地徘徊，
　脚下步步印着我的悲哀。
我重創了的靈魂呵，
　我正在這里將你掩埋。

107

你若是聽從我的話，
你便在這永遠靜靜地睡罷！
你若是依然死死渴念伊，
你便化作雁兒向南飛去罷！

108

XXXII.

109

突然射穿我的心，
　無名的箭便永遠無踪無影；
留下這致命的創傷，
　一陣疼痛，一陣溫馨。

我雙手捧着我的心，
　輕輕地舐着傷上的血痕；
我忍不住這致命的疼痛，
　我受不了這奇異的溫馨。

110

我將忘却當作藥材，
　將詩詞當作藥引；
我日日自煎自服，
心說：『徒勞呵，愚人！』

XXXIII.

112

去年的三月盡在夢中消逝了，
　今年的三月又叫我白白睡掉；
同是一般煩惱，
　但是兩樣情調。

黎明酸辛。
　黃昏無聊。
往日的火一般的情熱呵，
　只博得滴滴的淸淚潤澆。

113

眞能永遠得不到伊們的消息麼？
我自己悲哀地懷疑。
伊們的命運究竟怎樣了？
這個問題永遠在我的心裏。

偶而夢中相遇，
醒來無憑無據；
轉身再行入夢，
却又無處尋覓。

114

去年的三月盡在夢中消逝了，
今年的三月又叫我白白睡掉；
同是一般煩惱，
但是兩樣情調。

XXXIV.

116

微嗅着桂花的芳馨，
　恍惚中我走入深林；
林外藴着萬頃的銀光，
　林邊閃着殷勤的幻影。

霎時間白浪滔天，
　四周發出駭人的浪聲；
我急向林邊奔去，
　幻影遠遠地在浪中浮沉。

117

恍惚中我捲入浪裏，
死的感覺使我心灰意冷。
我慢慢從牀上醒來，
幻影又死纏着我的心靈。

118

XXXV.

119

我埋頭在悲哀的古堡，
　死守着這記憶的殘燈；
殘燈常要被忘却吹滅，
　但是一閃呵又復光明。

我知道：「燈滅了，
　古堡便會立地消除。」
我知道：「燈滅了，
　古堡便成我的墳墓。」

120

我知道：『燈亮着，
　我將悲哀而逝。』
我知道：『燈亮着，
　我將永生不死。』

我埋頭在悲哀的古堡，
　死守着這記憶的殘燈；
殘燈常要被忘却吹滅，
　但是一閃呵又復光明。

XXXVI.

122

去年的此夜我曾在醉鄉度過，
今年的此夜呵叫我如何消磨！
黑暗佔據了我的周遭，
只有記憶的殘燈依舊搖搖：

「江面的陽光晶晶閃耀。
山女只不敢走下吊橋。」
我扶着伊慢慢地走去，
我不敢再看伊的微笑。

123

「步步踏上百級的江岸，
　岸上的晨風冷冷拂面；
我低低說聲：「再會！」——
　我如何能往伊們的家園！」

北風在窗外怒號，
　時間在風中飛跑；
黑暗佔據了我的周遭，
　只有記憶的殘燈依舊搖搖。

124

XXXVII.

125

我夜登臥佛寺的後山，
淒淸的明月流在中天；
我披着松陰默坐，
白茫茫的大地展在眼前。

松陰慢慢從我身上移去，
我哀哀地向着明月目語：
「你知否伊人的消息？
怎麼老是似理不理？」

126

松陰慢慢又籠罩了我的周身，
我忍不住這內外交攻的寒冷；
我悽愴地走下山去，
步聲踏破了山中的寂靜。

127

「松陰慢慢從我身上移去，
我哀哀地向着明月自語：
「你知否伊人的消息？
怎麼老是似理不理？」」

128

XXXVIII.

130

柳陰織就了溪邊的幽靜，
我呆坐着傾聽潺潺的水聲；
蘆葦在微風中蕭蕭私語，
寂寥中消逝了我多少黃昏。

舊景的猛襲不能再忍，
我的心哀哀地任情呻吟。
蘆葦在微風中蕭蕭嘆息；
流水在柳陰下潺潺嗚咽。

XXXIX.

132

天際的明月淒清，
　柳陰下坐着我獨自一人。
　誰知道明月是初升還是欲落！
誰知道這是現實還是夢境！

我從微開的眼縫中默望，
　眼前的夜景何等陰森！
　誰知道我如何來到這里！
誰知道這是甚麼境地！

「天際明月淒清，
柳陰下坐着我獨自一人。

誰知道明月是初升還是欲落！
誰知道這是現實還是夢境！」

134

135

我將雙眼輕輕地閉住，
眼角下流出滾滾的淚珠。
誰知道我的舊夢飛往何許！
誰知道我的青春葬在何處！

天際的明月淒清，
柳陰下走出我孤單的人影。
誰知道明月是初升還是欲落！
誰知道這是現實還是夢境！

136

XL.

137

月光下我獨在林邊佇立，
眼前的世界何等幽淒！
這夏夜的神祕的寂靜裏，
顫動着我輕微的噓唏。

我死死凝視閃爍的羣星，
我的心啊不知飛向何許；
幸福的羣星有青天作底，
我的心有塡不了的空虛。

138

一九二三年二月至一九二五年七月

139

「我死死凝視閃爍的羣星，
我的心呵不知飛向何許；

幸福的羣星有青天作底，
我的心有塡不了的空虛。」

140

君山

韋叢蕪著

每本大洋七角

北京未名社出版

北京馬神廟西老胡同一號

冰塊

韋叢蕪 著

未名社出版部（北平）一九二九年四月初版。
原書三十二開。

冰塊
韋叢蕪著

未名新集之一

冰塊

韋叢蕪著

關瑞梧作書面

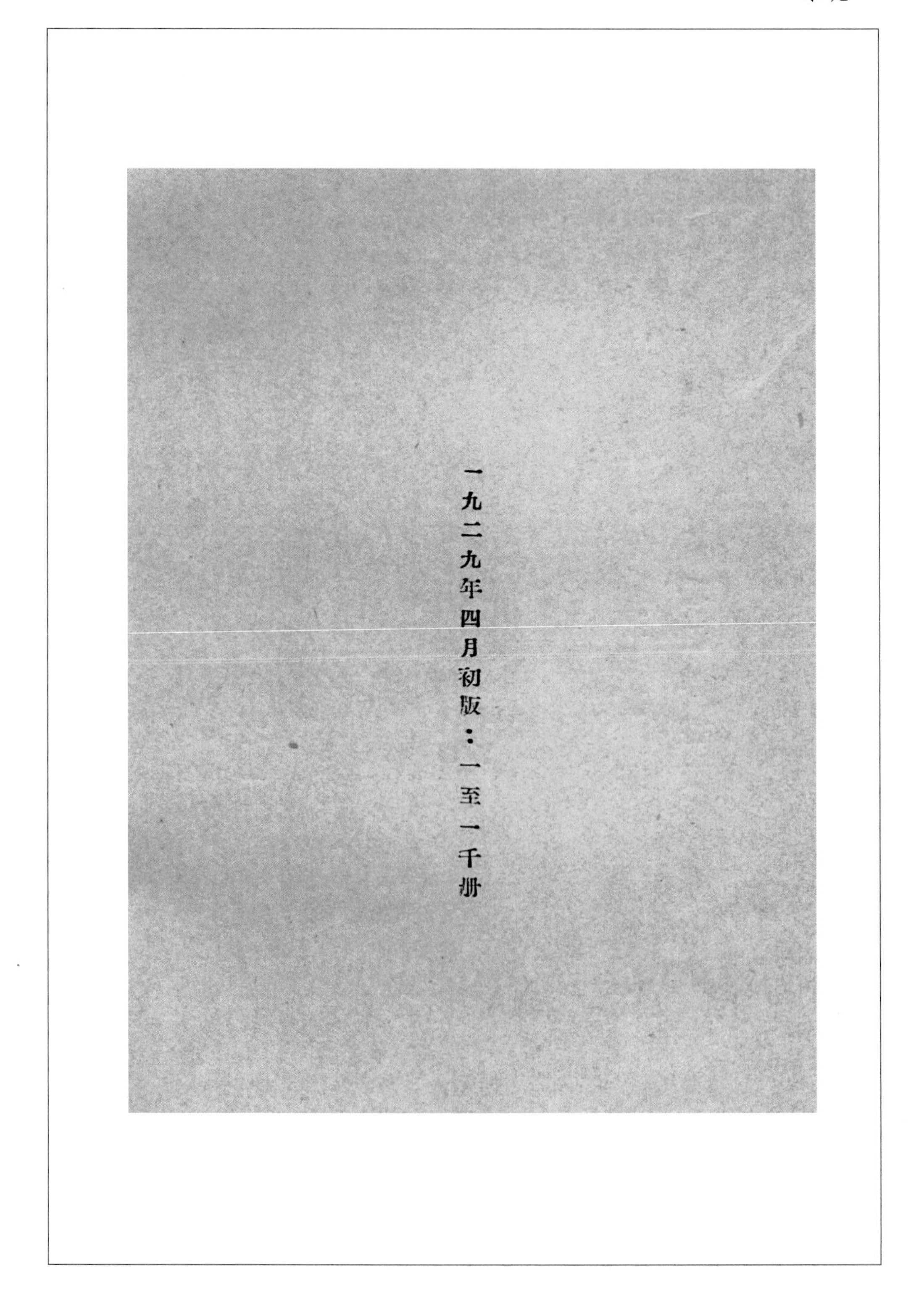
一九二九年四月初版：一至一千册

消不了的是生的苦惱，
治不好的是世紀的病。

著者

超澄攝

目錄

冰塊

冰塊

2

我在我的心的深處發見了多年凝結的立體的冰塊，而且我察知了這冰塊乃是從我呱的一聲墮地的時候，感覺到世界的冷便開始凝結的。

那時候母親自己心中的冰塊，已如地球兩極的冰塊一樣，沒有融化的希望了。然而她畢竟是一個母親，她不能不把她那還未曾凝結成冰的母親的熱血沸騰起來，緊緊地摟抱着她的初生的嬰兒，融化他初來到世間感覺到世界的冷而凝結的冰塊——死的開始，死的象徵。

嬰兒心中的冰塊確是慢慢地融化起來了，而且漸

3

漸地和鮮血混合。

但是母親心中的冰塊畢竟是已如地球兩極的冰塊一樣了，她每次融化自已心中冰塊的熱血，結果不過徒增冰塊的體積而已：冰塊便這樣地在母親的心中有增無已地擴大起來。

嬰兒心中的冰塊，本爲母親的熱血融化而且和鮮血混合了，也自然地漸漸地重新凝結起來，而且體積更加倍地擴大。

自從離開母懷直到如今，我日日以我的熱血融化我的心中的冰塊，冰塊卻夜夜和新的血液凝結起來，

4

擴大牠的體積。

牠夜夜凝結的密度正和我日日融化牠的熱度成正比例。

全部的青春的沸騰的熱血，凝結成整個的立體的冰塊。

在冷的世界上，熱血融化着，冰塊凝結着。

死的象徵的冰塊在我的心的深處永遠有增無已地擴大，熱血已漸漸失去融化的作用了。

唉唉，冷啊，冷啊！

冷的世界的冷的尊神啊，你請得意地，默默地，傾聽着『冷呵，冷啊！』的音樂。

（一九二五年四月）

荒坡上的歌者

8

我彷彿是一個站在荒坡上的歌者，
而在這個時候，夜幕又正在織着，陰風又正在怒號着。
我能唱出個什麼調子呢？
我且關住我的嗓子罷；
但是我如何能夠呢，既然是一個歌者。
好罷，唱罷；管他什麼調子！
但是夜幕蓋住了一切的景物，我還有什麼可歌唱呢？
——歌唱黑暗！
但是陰風刺骨，叫我如何歌唱呢？
——歌唱冷與悲苦？

然而我不是完全沒有聽衆麼？

——完全沒有。

那麼我唱給誰聽呢？

——……

東方的天際有沒有一道長河，河上泛着的有沒有一葉扁舟？

——沒有，沒有。

西方的天際有沒有一座森林，林裏憩着的有沒有一個獵人？

——沒有，沒有。

10

那麼我有唱給誰聽的希望呢？

——……

我且關住我的嗓子罷；

但是我如何能夠呢，既然是一個歌者。

好罷，唱罷；管他有沒有聽衆！

* * *

我彷彿是一個站在荒坡上的歌者，

在黑夜裏，在陰風裏，

沒有調子，沒有聽衆，沒有希望，

歌唱黑暗，冷與悲苦。……

（一九二六年二月十六日）

綠綠的灼火

12

細雨紛紛地下着，陰風陣陣掠過野塚，我的骨骼在野塚上直挺地躺着。

光已經從世界上滅絕，我的骨骼已經不發白色。

我這樣死着，——

在空虛裏，在死寂裏，在漆黑裏死着。

唉唉，我的骨骼怎的又在微微嘆息了！

唉唉，我的心火怎的還沒有滅盡呢！

唉唉，牠在裏面又燃起了！

唉唉，又燃起了，綠綠的灼火又燃起了！

13

司光的神不能滅熄我的心頭的殘燼，綠綠的灼火又照亮了我的心的王國。

在這王國裏，好像初次幽會似的，我的靈魂緊緊地擁抱着我心愛的情人，她曾白白地葬送了我的青春；

在這王國裏，我又覺得我空灑了的眼淚，我失却了的力量，我壓死了的熱情，我的幻夢，我的青春，我的詩歌，我的雄心，——

這一切都齊整地羅列在愛的祭壇上，下面架着澆過油的柴火，當中舖着一個蒲團，——我知道，這是專

14

等着我的靈魂的到臨。

我的靈魂到蒲團上虔誠地跪下，柴火在下面燃燒着，我的詩歌在壇上嗚咽地奏着，我的情人在壇上輕盈地舞着，

我的眼淚，我的力量，我的熱情，我的幻夢，我的青春，我的雄心，……同在這火光中舉行了葬禮。

火燄燒遍了愛的祭壇，火燄燒遍了心的王國。……

但這只是綠綠的灼火。

15

——你又來了麼，司光的神？我說。你這是第幾次了！
——你知道，司光的神說，我並不是情願這樣的。
——滅不了的是我的心頭的殘燼，你何必使我的靈魂
　反覆忍受烈燄燃燒的慘刑！
——你的孽障太深了。

狂風吹滅了我的心火，急雨澆熄了牠的殘燼。
——牠將不再燃起了，司光的神說。
——你這話說過幾次了？我問。
我的心頭暫落得一陣莫名的清冷。

16

細雨紛紛地下着，陰風陣陣掠過野塚，我的骨骼在野
　塚上直挺地躺着。
光已經從世界上滅絕，我的骨骼已經不發白色。
我這樣死着，——
在空虛裏，在死寂裏，在漆黑裏死着。
唉唉，但願我的心火不再從骨骼中燃起了！
　但願我的心頭的綠綠的灼火不再從骨骼中燃起了！

（一九二六年二月十七日晚）

我披着血衣爬過寥濶的街心

18

在傷亡的堆中，我左臂下壓着一個血流滿面的少年，
右臂下壓着一個側身掙扎着的黃衣的女生；
左臂下的死身已硬，右臂下發出哀絕的『莫要壓我！』
的聲音。
掙扎，掙扎，我的頭好容易終得向外伸引，我哀呼，
『救我，救我，先生！』
——砰砰……砰砰……兇惡的槍聲又起了。
——嗳啃！……嗳啃！……我的背上又發出哀絕的叫
痛的聲音。
掙扎，掙扎，我的最後的力量行將費盡；

掙扎，掙扎，屍身從我的上面倒下，鮮血淋淋；
掙扎，掙扎，從傷亡的堆中擠出了我的上身；
掙扎，掙扎，我終于倒在傷亡的堆旁而爬行，——
爬行，爬行，我披着血衣爬向寥闊的街心。……
這時候，大街上已沒有軍警，沒有行人，沒有聲音，
爬行，爬行，我披着血衣爬過寥闊的街心。……

——記三月十八日北京國務院前的大屠殺——

我踟躕，踟躕，有如幽魂

22

陰風慘慘地吹，
細雪紛紛地落，
這屠殺後的古都，
埋葬在死的恐怖。

繁華的哈德門大街，
此刻已無車馬馳奔；
我，血衣依舊在身，
踟躅，踟躅，有如幽魂。

消不了的是生的苦惱，
治不好的是世紀的病。
驚魂未定的我呵，
耳鼓裏儘鳴着嘈雜的聲音。

『打倒帝國主義！』
『嘻嘻……嘻嘻……』
一陣的呼號，
一陣的嘲笑。

24

『砰砰……砰砰……』
『嗯嗯……嗯嗯……』
一陣的槍響，
一陣的哭聲。

陰風慘慘地吹，
細雪紛紛地落。
耳鼓裏儘鳴着嘈雜的聲音，
在死街上我踟躅，踟躅，有如幽魂。

——記三一八屠殺之次日的雪中行——

26

詩人的心好比是一片陰濕的土地，
在命運的巨石下有着愛的毒蛇棲息；
他歌吟着，輕鬆心頭的苦楚，
毒蛇在吟聲裏吮取着他的血液。

在生之掙扎裏更痛感着生之悲凄，
他踟躅于人間，却永爲人間擯棄。
唉，何時呵，能爬出那血紅的毒蛇，
從命運的巨石下，從陰濕的土地裏！

一顆明星

28

我手提一隻忽明忽暗的油燈，
　黑夜裏在生之路上緩緩前行；
我知道燈油是漸漸耗盡了，
　唉，我呀，我將何處安身？

這哀感權且嘘向太空，
　太空中有一顆明星閃動；
閉住你的銳眼罷，明星！
　你已刺殺了我的幽魂。

（一九二七年一月十一日）

燃火的人

30

我的身軀好比是一片荒原，
心靈裏燃起了烈烈的火焰；
火焰燒遍了我的周身，
火光中焦灼着我的孤魂。

這荒原原只配當作葬場，
這孤魂也算是配了命運。
祝福我軟弱的心！
祝福你燃火的人！

（一九二七年一月二十九日）

密封的素簡

32

電光透出紅色的燈幔，
　紅光浮泛在病人的臉面；
呼吸微弱一如牀邊梅花的氣息，
他默想着，注視着密封的素簡：

「往事有如雲烟，
　雲烟裏現出朦朧的江南——
江南的笑語，
江南的親顏。

33

『十年的沉默都是養料，
培養着心田裏的愛苗。

…………………………

…………………………

『人世幾經變遷，
生活幾度失顏；
幾度情焰燒滅失望，
幾度失望澆熄情焰。

34

「我馳騁于人生的疆場，
日日打着無聲的血戰；
擊罷，我的忠勇的鼓手！
我們的希望是最後的凱旋。」

電光透出紅色的燈幔，
紅光浮泛在病人的臉面；
呼吸微弱一如牀邊梅花的氣息，
他默想着，注視着密封的素簡。

（一九二七年二月）

哀辭

36

多少奇花，
開而又落；
多少妙人，
雖死如活；

死者生者，
兩地相憶；
哀此宇宙，
充滿孤寂。

（一九二七年十一月）

黑衣的人

38

一

月光流進病房，
映着粉白的牆，
白的臥床，
白的棹幔，
白的椅墊，
白的衣裳，
白椅上躺着白衣的病人，

臉孔上浮泛着月色的慈祥。

這時靜默的使者，
統治着夜月與星辰，
統治着空中的風雲，
統治着病房的週遭，
統治着病人的本身；
聽不見微語，
聽不見歔欷，
更聽不見呻吟。

40

撲……撲……拉……拉……
宿鳥爲何驚醒？
一片黑雲？——
哦，簷前的飛鳥向我投影。
星月不曾微語，
風雲不曾歔欷，
病人更不曾呻吟，
寂靜……寂靜……

我低眼看身上的烏影，
舉眼看簷前的飛禽，
轉眼間鳥兒帶影飛去，
哦，我眼前院中怎麼聳着一個黑影！
不錯，月光下看得還很分明，
她是誰，我似乎還記得清。
看，那烏黑的絲髮，
　那發亮的雲鬢，
　那蒼白的臉孔，
　那緊閉的雙唇，

42

　那深黑的衣裙，
看，月光下何等地娉婷！
她是何時來此？
爲何不見叩門？
我這樣躺着，
豈不慢了客人？
『請進！』說着
我勉强從臥椅上起身，
格吱一聲，

43

我彷彿從夢中驚醒，
抬頭向外探望，
院中並無一點人影。
羣星奄息，
夜月無聲，
無風，
無雲，
寂靜……
寂靜……

44

二

月光流進病房，
映着粉白的牆，
白的臥牀，
白的棹幔，
白的椅墊，
白的衣裳，
白椅上躺着白衣的病人，

臉孔上浮泛着月色的慈祥。

～～～～～～～～

……………………

～～～～～～～～

……………………

45

何來輕微的欷歔，
欷歔中含有無限的情意？
是發自困于愛情的癡人？
是發自疲于人生的賢聖？

46

是愛？
還是憐憫？
是自憐？
還是憐人？

～～～～～～

…………………

是誰，這樣深情，
獨自欷歔，在這夜深？
這是異鄉的病房，

僅是我自已養病，
既無看護，
更無親人。

怎的！
院中又聳着一個黑影！
不錯，月光下看得還很分明，
她是誰，我似乎還記得清。
看，那烏黑的絲髮，
　那發亮的雲髮，

48

那蒼白的臉孔，滿帶慈悲，
那微啓的雙唇，越顯淒美，
那深黑的衣裙，越發齊整，
看，月光下何等地娉婷！

怎麼立在院中老不作聲？
怎麼老不走進？
難道我就沒有聽見叩門和開門的聲音？
呵呀！我眞慢了客人！
『請進！』我高聲說着，

趕緊從臥椅上起身，
盻嗒一聲(我脚蹬倒了椅邊的藤棍)，
我彷佛從夢中驚醒，
抬頭向外探望，
院中並無一點人影。
羣星奄息，
夜月無聲，
無風，
無雲，
寂靜……

50

寂靜……

三

月光流進病房，
映着粉白的牆，
白的臥床，
白的幃幔，
白的椅墊，

51

白的衣裳，
白椅上躺着白衣的病人，
臉孔上浮泛着月色的慈祥。

嗟……嗟……嗟……嗟……
何來婦人的步聲？
何等輕柔！
何等匀整！
這是異鄉的病房，
僅是我自己養病，

52

既無姊妹，
更無戀人。

噠……噠……噠……噠……
步聲由遠而近，聽得越發分明，
這步聲何等熟悉，
但我記不起她是何人。
好吧，等着，
等着她來叩門；
我當竭誠歡迎，

歡迎她的降臨；
我當話盡衷曲，
將她問個究竟。

怎的！
未聽步聲，
未聽叩門，
院中又聳着一個黑影！
不錯，月光下看得還很分明，
她是誰，我似乎還記得淸，

54

看，那烏黑的絲髮，
　那發亮的雲鬓，
　那蒼白的臉孔，
　那緊閉的雙唇，
　那深黑的衣裙，
看，月光下何等地娉婷！

我起身來到門前，
玻璃格扇隔着我們兩人。
『請進！』說着

55

我用右手開門。
她依然佇立院中，
不動亦不作聲。
『請進，高貴的客人！』
我的聲音更加誠懇。
天呀！一陣銷魂！——
兩道神光發自她的兩隻眼睛。
我呆呆的站在門旁，
一步難動，一聲難響。

56

噠……噠……噠……噠……
門外響着步聲，
院中已無人影，
我跑出打開大門，——
月光下，
廣道上，
林陰裏，
遙閃黑影，
遙傳步聲。……

（一九二八年春）

在電車上

電車載着我的病身，
　兩旁坐着兩個官人，
我慘視同難的朋友，——
　我們的命運還人決定。

大街上飛動着嘈雜的色彩和喧鬨，
　車身不住地震動，啌咚……啌咚……
哦，世界！哦，生命！
　朦朧……朦朧……朦朧……

——記四月八日

惠特曼自由詩兩首

敲！敲！鼓！

62

敲！敲！鼓！——吹！號！吹！
穿過窗——穿過門——有如一支兇暴的軍隊，
衝進莊嚴的教堂，解散聚會，
衝進學生正在用功的學校；
莫讓新郎安靜——此刻不準他和新婦有什麼快樂，
安寧的農人不得安寧，耕地或割禾，
這般劇烈的你們鼓響着，打着——這般尖銳的你們號
吹着。
敲！敲！鼓！——吹！號！吹！

高過城市的買賣——高過街上車輪轔轔的聲音；
住宅裏爲愛睡覺人夜間預備牀麼？愛睡覺人不准在那
　些牀上睡。
白天不准有磋商買賣人的磋商買賣——不准有說中人
　或投機者——他們要繼續麼？
愛說話的人們要說話麼？歌人要唱歌麼？
律師要在法庭站起來在法官面前陳述他的訟事麼？
那麼鼓刮辣得更快些，更烈些——你們號吹得更兇些。
敲！敲！鼓！——吹！號！吹！

64

沒有什麼磋商——不聽什麼理論，
不管胆怯的——不管哭泣者與祈禱者，
不管老年人懇求青年人，
莫讓小孩子的聲音或母親的祈求被聽見了，
甚且使支架搖動死者（他們在架上等着柩車），
這般强烈的你們撞着，可怕的鼓呵！——這般響亮的
你們號吹着。

從田地裏來呀，父親

66

從田裏來呀，父親，這里是我們的皮特來的一封信，
到前門來呀，母親，這里是你的愛兒來的一封信。

看，是秋天了，
看，那里樹木，綠得更深，更黃，更紅，
樹葉在小風中飄動，使阿海奧的鄉村清涼而且佳美，
那里蘋果熟在果園中垂掛，葡萄熟在攀架的藤上，
（你嗅着藤上的葡萄的氣味麼？
你嗅着蕎麥麼？那里蜜蜂近來在嚶嚶的鳴哩。）
尤其，看，天空這般恬靜，這般淸澈在下雨以後，而

67

且有驚人的雲，
下面也是的，一切恬靜，一切生動而且美麗，田地很
興旺的。

田地裏一切很興旺的，
但是現在從田裏來了，父親，聽女兒叫來了，
來到入口，母親，立刻來到門前了。

快快地打開信封，
哦這不是我們兒子的筆跡，然而他的名字簽上了，

68

哦一個生手爲我們愛兒寫的，哦受傷的母親的靈魂！

一切在她的眼前浮泛，閃現黑色，她僅只看見主要的話，語句不連，

胸部槍傷，馬隊小戰，運往醫院，

目下軟弱，但是不久就要好些。

嗳，現在對于我，這獨一的幻像，

在一切繁殖而且富足的阿海奧及其一切城市和田畝之中，

臉孔病白，頭腦昏沈，十分衰弱，

靠在門柱上。

莫要這樣悲傷，親愛的母親（剛長大的女兒嘆息地說，

小妹妹們四圍擠着無語而且嚇呆了），

看，最親愛的母親，信上說皮特不久就要好些。

唉唉，可憐的兒，他將永不會好些了（或者也不需要

好些，那個勇敢而且樸實的靈魂），

當他們在家裏門口站着的時候，他已經死了，

唯一的兒子死了。

70

但是母親需要好些，
她消瘦的形體立刻穿上黑衣，
白天飲食不進，夜間睡眠不安，時常醒來，
在中夜醒來，哭泣，懷着一種深沉的渴望，渴望着，
哦她可以使人不覺的，沈默的從生活退去，逃避而退
去，
去追隨，去尋覓，去和她的死亡的愛兒一起。

附記——『關于惠特曼(Walt Whitman 1819—1892) 的特別詩律的短詩，其中最堪注意的之一便是「從田裏來呀」(Come up from the Fields, Father)，——一幅繪得精巧的圖畫，繪出一個老父親和老母親從他們的工作中，戰慄地走來，聽他們的遠在戰線上的兒子的消息。這是一萬父親和母親的圖畫，在同樣多的北部和南部（指美國）的鄉村裏，而且有些讀者或者會奉之爲惠特曼所有作品中之最精美有人情的。與此在大爭鬥中犧牲他們的兒子的諸父諸母的這種沈默的悲哀與英雄氣極端相反的，便是「敲，敲，鼓」(Beat!

Beat! Drums!)，該詩反映第一次召兵的騷動與喧噪。』

以上是朗氏（W. I. Long）在美國文學中說的一段話。

記得彷彿在兩三年前，偶而和一個美國人F.君談話，因爲問起他美國詩壇的趨勢，他問我的意思是說內容方面還是形式方面，我說關於形式方面。他說自從惠特曼的詩體解放潮過去後，現在的詩大抵是稍規距了。他接着又擧一個例子說，舊體詩好比人縛着手走路，初期的解放潮好比人扯斷了繩索而橫起兩臂來走路，以後兩臂便漸漸放下來了。

我最感覺得有意味的便是他的這個例子。我們的從未開過盛花的新詩壇（?）上，豈不是早就有一部份人在不住加緊地自已縛着自已的手，彼次互相競爭着，標榜着，看看到底誰縛的緊些，整齊些麼？惠特曼的自由詩之類大概還有介紹的必要罷，雖然有用與否是問題。

一九二七年四月五日寫于海甸。

花木蘭文化事業有限公司聲明啓事

此次《民國文學珍稀文獻集成》出版，有賴各位作者家屬大力支持，慨然允贈版權，遂使這巨大的文化工程得以開展。本公司全體同仁在此向各位致以誠摯的謝意！

由於民國作者人數眾多，年代久遠且戰火頻繁，本公司傾全力尋找，遍訪各地，能夠找到的後人，得其親筆授權者，為數甚寡。更多的情況是，因作者本人下落不明，連版權情況都無從知曉。

因此，本公司鄭重聲明：

此叢書所錄專著，凡有在版權期內而未授權者，作者家屬可與本公司聯繫，本公司願奉送相關贈書 50 冊爲報酬，補簽授權協議。

望家屬看到此通知後與本公司聯繫。聯繫信箱：hml@vip.163.com

花木蘭文化事業有限公司